经济启蒙漫画系列

江苏卡龙动画影视传媒股份有限公司 编著

Jingji Xueyuan

经济学园

岛国奇遇——买与卖

主编 / 徐缨

6

全国百佳图书出版单位
APGTIME 时代出版
时代出版传媒股份有限公司
安徽人民出版社

序

经济学来源于生活，与我们每个人都密切相关。英国大文豪萧伯纳说过，经济学是一门使人幸福的艺术。懂一点经济学，增加一些经济学素养，无论是对人们的日常生活，还是对社会的长远发展，都是一件很有意义的事情。

在大部分人看来，经济学是枯燥乏味、深奥复杂的，对孩子们来说更是如此。《经济学园》在一定程度上改变了人们的这一印象。这套书用生动活泼的漫画故事表现原汁原味的经济学知识，让孩子在快乐中学习，在学习中成长。相信每个读过的人都会觉得，经济学原来是这样有趣，学经济也可以很轻松。

世界上绝大多数发达国家都已经将经济学纳入了中小学教育，美国甚至推广到幼儿园阶段。与之相比，我国中小学生经济学普及教育还有很长的路要走。《经济学园》已经在这方面作出了积极的努力和尝试，希望更多的有识之士加入这个行列中来，为孩子们提供更多精美的精神食粮。

中共江苏省委常委、宣传部部长 **杨新力**

2011年 4月 18日

目录

人物介绍

韩夏天

“经济之星”的领袖。虽然看上去大大咧咧、少根筋的样子，但是热心善良，对待朋友真诚无私，遇到问题总能迎难而上，运用经济知识化解了一个又一个难题，在经济学方面有很高的天赋。

李润一

“经济之星”的成员。山城市大企业蒙特集团老总的千金，美丽智慧、勇敢善良，充满自信与活力，自尊心很强，做事总有股不服输的劲。

南路易

“经济之星”的成员。父亲的公司破产后，为让妈妈重新过上幸福的生活而进入MBA学校学习经济。温和善良，有点自卑的他，为了维护山城市的和平也变得坚强起来。

江多多

夏天的死对头。从小就接受系统的经济教育，以首席入校生的身份进入MBA学校。经常欺负同学，为了完成任务还会使用非正常手段，有着不为人知的身世和秘密。

罗布老师

MBA学校的管理机器人。能够急速奔驰，在美女面前喜欢装帅耍酷，经常被夏天的恶作剧捉弄。看着呆呆傻傻，但危险时总少不了它英勇的身影。

安德校长

MBA 学校的创始人，也是传说中的经济学者。他设立了独树一帜的入学考试，以筛选人才，再经过细致的教育，培养出一批批维持经济社会平衡的学者。

莎咪老师

MBA 学校的经济学老师。温柔美丽、热情大方，对待学生关心体贴，有如春风般温暖，但是对上课不专心的学生还是非常严厉的。

米历老师

MBA 学校的生活老师。为人刻板，凡事都以校规为准则，但对学生十分爱护。

赛总

曾经是 MBA 学校的成员，因为心术不正而被学校开除。为了证明自己的能力创建了爱客隆集团，利用经济知识干着各种损人利己的非法勾当。

MBA 学校　世界一流的经济学校，也是山城市的骄傲。MBA 学校的学生都具有经济头脑，毕业后活跃于全球各个重要领域。

经济之星　夏天创立的社团，也是MBA 学校中经济能力特别突出的优秀学生的荣誉称号，其实担负着对抗黑暗经济组织爱客隆的重任。

爱客隆　赛总为掌控山城市而建立的黑暗经济组织。通过强买强卖、垄断市场、操控价格等行为，破坏了山城市的经济秩序，给人们的生活带来了巨大的灾难。

版式介绍

本书中出现的经济知识都跟我们的日常生活密切相关，实用性也很强，掌握这些知识可以帮助我们解决生活中遇到的实际问题。

重要的经济术语用红色字体标注

对经济术语的解说用蓝色字体标注

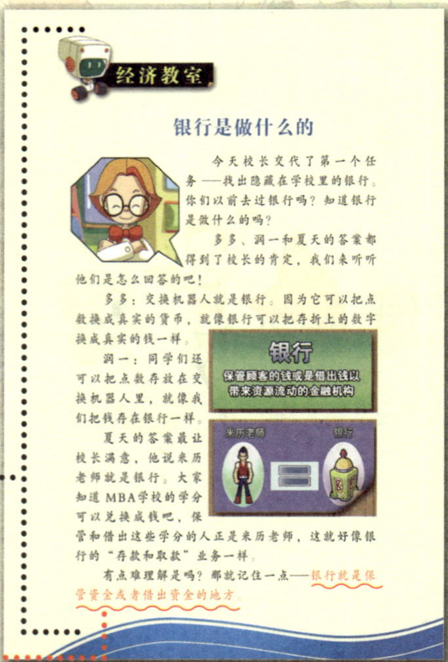

经济教室

银行是做什么的

今天校长交代了第一个任务——找出隐藏在学校里的银行。你们以前去过银行吗？知道银行是做什么的吗？

多多、润一和夏天的答案都得到了校长的肯定，我们来听听他们是怎么回答的吧！

多多：交换机器人就是银行。因为它可以把点数换成真实的货币，就像银行可以把存折上的数字换成真实的钱一样。

润一：同学们还可以把点数存放在交换机器人里，就像我们把钱存在银行一样。

夏天的答案最让校长满意，他说米历老师就是银行。大家知道MBA学校的学分可以兑换成钱吧，保管和借出这些学分的人正是米历老师，这就好像银行的“存款和取款”业务一样。

有点难理解是吗？那就记住一点——银行就是保管资金或者借出资金的地方。

每集小故事结束后都附有“经济教室”，用以总结本集的核心知识点，并对故事中出现的经济术语进行重点解说。

需要掌握的知识点用橙色字体标注

Let's Go!!
MBA

第二十六集

运动鞋失踪的真相

我，有什么
不同啊？
嗯？你剪头
发了？
呵呵呵……
不对。
穿新衣服了？
没有！夏天
你说呢……
我不知道。
喂，你们怎么
对朋友一点都
不关心啊！

我新买了双运动鞋，你们没有看到吗？
嗯，挺漂亮的。
哦，是新跑鞋啊。
对啊，是最新款的耶！
无视
你们……不跟你们说了！
哼！
刚刚有谁来过吗？
写你的作业吧！

发生什么事啦？
贝蒂昨天新买的运动鞋不见了。
夏天！
你帮帮我吧，要是能帮我找到运动鞋，我就请你吃包子。
包子？！哈哈……
就看我名侦探韩夏天的了！
我名侦探的直觉来啦！
又来了！

到底是谁拿走的呢？
等一下！
昨天你虽然假装不关心，但你却注意到贝蒂的运动鞋是跑鞋……
在你看来那鞋还挺漂亮的，对不对啊？
喂！韩夏天！
咚
哎哟！
哼！

润一……
说起来，路易你的脚好像和贝蒂的差不多大……
你为了包子连朋友都出卖！
什么包子啊，这是我特有的名侦探的直觉。
到底是谁偷走的呢？直觉直觉你快告诉我……
哇啊——
你们听说了没有，偷贝蒂运动鞋的小偷被抓住了！
什么？
真的？

卡山，那双运动鞋你穿着也不合适啊！为什么不把它还给贝蒂呢？
只要你说出运动鞋在哪儿，大家就可以原谅你！
到底是怎么回事啊？
好像是卡山跟莎咪老师说，是他拿走了运动鞋。
也就是说，他自首了。
我知道了！肯定是卡山看不惯贝蒂的自以为是，所以把贝蒂的运动鞋藏了起来！

可是他又不说把鞋藏在哪儿了。
啊？为什么？
那我可不知道。
啊？
如果找到运动鞋的话，贝蒂就请我吃包子……
现在还想着吃包子啊！
什么？还没有说吗？
我忍不下去了！我要去找校长，让校长给他红色卡片！
整天和多多混在一起，就知道欺负我们！

等等，贝蒂，一张红卡要扣50分呢。
是啊，再等等吧。
我管他是不是会被扣分！他偷走了我的运动鞋！
啊？
干什么？
我的包子呢？
放开！

真的不能告诉我吗？
现在把贝蒂的运动鞋还回去的话，我还可以把这件事当成单纯的玩笑来处理。
可如果你还是不说，那就只能按校规处理了。
没有办法了。
啊！

卡山同学被
扣50学分。
现在你只剩
7个点了。
点数不满 30的同
学是禁止外出的。
回房间去吧。

结果卡山还是收到了红色卡片。
真的吗？那可是要扣50分的呀！
这样下去卡山也许不能毕业了。
那该怎么办啊？
我总觉得有什么问题。
我们为什么不去找卡山问问看呢？
名侦探韩夏天的直觉告诉我，这里面肯定另有隐情！
又来了！
就是！

卡山！
什……什么事啊？
你看起来好像有什么烦恼啊。
朋友有困难了，我能假装不知道吗？
谁跟你是朋友啊？

只要肯请我吃包子，恶魔也可以成为朋友啊。
咚
说什么呢！
不用担心，我们什么都不问，就和你一起玩。

给！
喝了心情会
好一点的。
那我去买包子，
我们一起吃吧。
我妹妹是田径选手，
在和她年纪差不多的
女孩子中跑得最快。

在上周预选赛中她以第一名的成绩进入了田径100米决赛。
可是我们家很穷，在妹妹运动这方面从来没给她任何帮助，身为哥哥的我感到很惭愧。
明天就是决赛了，我真的很想帮她买双新的运动鞋，让她赛出最好成绩，可是我……
贝蒂的运动鞋是我妹妹一直想要的……
我只是想在明天决赛的时候给我妹妹借穿一下，比赛一结束，我就立刻还回去。

可是现在我不能外出，没办法把运动鞋给我妹妹了……
夏天，你可不可以帮我把运动鞋交给我妹妹？
当然可以啦！
可是那双运动鞋是贝蒂的，应该先征得她的同意吧。
而且还要对拿她运动鞋的这件事道歉……
道歉就会得到同意吗？
她现在可是很生气呢！

朋友们，等所有的事情都解决了再向贝蒂请求原谅吧！
谢谢你们！
到时候我们一起去向贝蒂道歉。
最好还是卡山亲自将运动鞋交给她妹妹，还要帮她加油打气。
交给我吧。
“经济之星”出动！

哦，原来是这样！
只要校长解除卡山的禁令，比赛一结束，我们就把运动鞋还给贝蒂，还会请求她的原谅。
这可不行啊，校规就是校规。
校长……
学习经济的人一定要遵守原则！
那是不是只要学分在 30点以上就可以外出了？
是啊。
您知道什么是信贷吧？

我当然知道！
怎么了？
我韩夏天！
无担保贷给卡山23个学分！
那么卡山的点数就达到30点，可以外出了，对不对啊？
那你用什么来评价卡山的信用呢？
自然是他对妹妹的那份爱了！有了爱，还有什么做不到的呢？

啪
加油！加油！

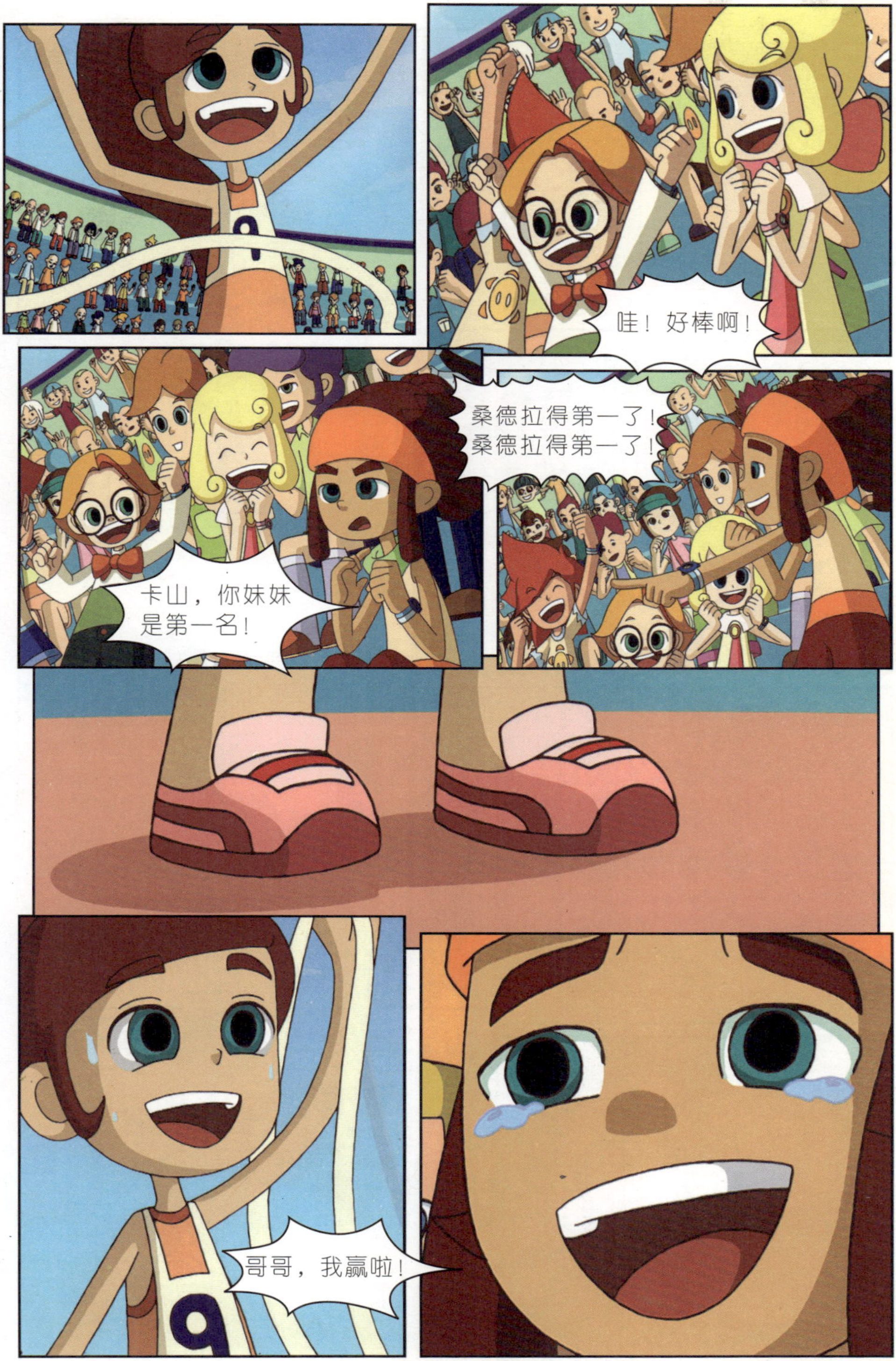
哇！好棒啊！
桑德拉得第一了！
桑德拉得第一了！
卡山，你妹妹
是第一名！
哥哥，我赢啦！

不管是谁，我都要谢谢她，多亏了她把运动鞋借给我穿，我才能赢得这次的比赛。
嗯！是个叫贝蒂的同学把鞋借给你的。
贝……贝蒂。
谁同意借了？
我什么时候说借给你了！
听我说！
不是借的，是送给你的！

哎呀，看看你的脚……
都肿起来了！
我会节省零用钱，继续支援好的运动鞋给桑德拉。
所以桑德拉你要继续努力哦，知道了吗？
谢谢你……姐姐。

啊？
还有你！韩夏天！
既然运动鞋找到了……我请你们吃包子吧！
呀呼！
谢谢你，贝蒂，应该是我们请你吃饭的！
我们走吧！
哈哈哈哈

信用对经济活动的影响

大家好！我是卡山。这次，要不是夏天他不介意我悄悄拿走贝蒂运动鞋的行为，依然相信我，并借给我学分，让我可以外出，我妹妹就不可能穿上新的运动鞋，并赢得这次100米跑步决赛的冠军。通过这次的事件，我明白了信用在经济活动中是多么的重要。

所谓信用，简单来说就是信任。前面我们知道了信用卡是可以先消费后还款的，那银行和信用卡公司是依据什么来向人们发放信用卡的呢？那就是依据持卡人的财力以及信用度。

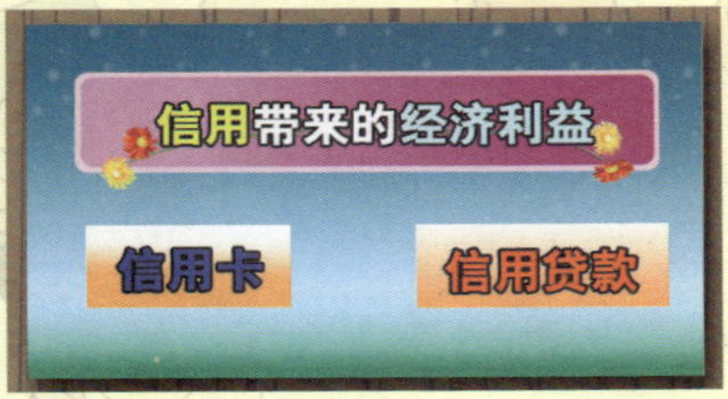

如果拥有良好的信用，我们就可以凭借信用进行贷款。银行信任客户，把钱借给客户，这叫做信用贷款。这就和夏天相信我，并借给我学分是一样的。所以说“信用带来经济利益”。

朋友之间只有互相信任才能好好相处，同样的，信用在经济生活中也非常重要。所以，我们一定要维持良好的信用！

第二十七集
岛国奇遇

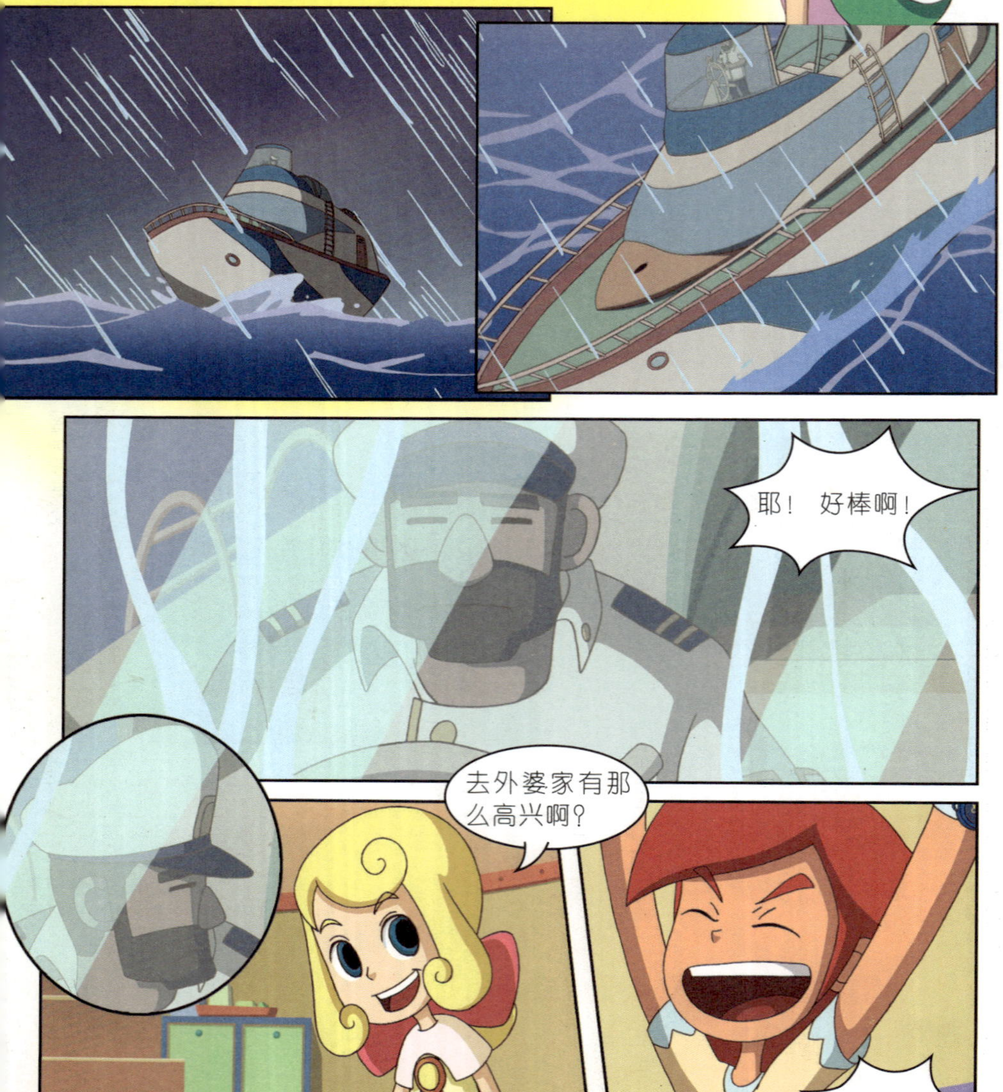

多难得的一次旅行啊！还能去看看外婆！
真想快点到啊！
可是夏天的外婆家还真远呐！
这个啊，我也不知道，但是味道很特别，而且是免费的，夏天你也拿点吧！
你一直往兜里装什么呀？
呃？
咳咳！

味道还真
特别哦！
嘿嘿！我也
装一点……
哐当
哎哟！
怎么回事啊？
我们去看看，快！

孩子们！我们遇到台风了！
危险！
啊！
轰隆隆

嗯？
这是？
什么地方啊？
路易！润一！
路易！你醒醒！
润一！
润一！

这是哪里啊？我们还活着吗？
船长不见了。
这里该不会是无人岛吧？
无人岛？那我们还能回去吗？
不要啊！我要回去！我要回去！
救命啊！救命啊！
SOS

怎么办？智能手表也无法使用了！
你们是什么人？
呃？
我以前好像没见过你们，你们不是岛上的居民吧？
你们怎么会到洛特岛来的？
呃？

夏天说明了事情的原委。
哦，原来你们是遇到台风了……
这里有电话吗？我们想要得到山城市的援助。
咕噜噜噜
嘿嘿，不好意思。
我看你们还是先把肚子填饱吧。

跟我走吧！
哈哈！
这里是洛特岛，虽然地方很小，但这儿的景色很美。
我还是第一次看到别的国家的人呢。
为什么？
因为国法啊，别的国家的人是不允许来这里的。
怎么会有这种奇怪的法律。

洛特岛的人口不是很多。
但人们都很淳朴善良。
洛特岛最值得骄傲的就是拥有丰富的农作物和珍贵的药草。
这些人都是来干什么的？

哇！好漂亮啊！
这儿就是我家。
快进来吧。
打开城门！
您回来了，艾琳公主。
公主？

公主，这几位是？
是我刚认识的朋友，他们遇到了台风，所以流落到这里，我打算帮助他们。
如果让陛下知道，那可就不得了了！
我自己会处理的！我的朋友肚子都饿了。
是，我马上就去准备！

公主，真是太麻烦您了！
不要这样子！大家还是把我当成你们的朋友吧，拜托了！
好吧，朋友！
你要为我们准备一些好吃的哟！

气氛好沉闷啊！
我们洛特岛是禁止外人出入的。
非常抱歉，我们突然遇到台风，不得已才到这里来的。
这次是公主来求我，我就不计较了！你们尽快离开这里吧！
艾琳，如果连我们自己都不知道要保护好洛特岛，那谁来守护这个国家呢？
就不能通融一下吗？他们是我的朋友啊！

爸爸！
就算是公主，也不能违背国法。
你怎么这么不懂事！

打扰一下，从刚开始王妃就没怎么说话，是身体不舒服吗？
用不着你操心。
面前放着这么美味的食物还一脸惆怅的，那可是对食物的不礼貌哦！
真是没大没小！
对不起，我只是想让王妃开心的……
正因为这样，我们才要戒备外来人员……简直是太没礼貌了！

卫生间到底在哪儿呢？
嗯？
那不是王妃吗？
王妃！
你是……

您在看什么呢，王妃？
大海……因为太闷了。
闷？艾琳也说过同样的话……
嗯？
我终于知道为什么艾琳看到我们会那么高兴了。
为什么？
因为看不到妈妈的笑脸啊，如果王妃不开心的话，艾琳也不会开心的。
我只是希望王妃能开开心心的，吃着美味的食物……
哈哈

我也曾吃过好吃的东西，那是记忆中的味道……
妈妈做的蛋糕、面包。
还有红茶和咖啡里都会放一点的东西，有点辣又有点甜……总是怀念它的味道，却想不起是什么……
又辣又甜？怎么会有这种味道？
这个啊，好吃，而且都是免费的，夏天你也拿一点吧。
味道真特别啊。

王妃，我知道您说的是什么了！
您尝尝看！有点辣，又有点甜，还带有独特的香味哦！
没错，就是这个味道！
这是桂皮糖果啊。
桂皮？对，就是桂皮！不快乐的时候吃一点心情就会好起来……因为洛特岛没有这种食物，我都已经忘记了！谢谢你帮我找到这个。
王妃，您想回家乡看看吗？
那就回去看看吧！
当然想了，但是……
呵呵！

夏天一行人来到宫殿。
说吧，你们有什么事？
陛下，王妃现在非常思念她的故乡，如果让她回故乡看看，或许她就会找回笑容。
因为王妃的故乡有她喜欢吃的桂皮，而洛特岛没有啊。
回故乡？这和笑容有什么关系？
可那并不是桂皮啊！我还是第一次碰到昨天那样沉闷的晚餐，都是陛下您！
桂皮？洛特岛有的是和那差不多的东西。
没有礼貌的家伙！把他们都关进监狱！
如果您一定要把那些孩子关进监狱的话，那就把我也关进去吧。

王妃？
这帮孩子都是为了我，都是因为我想吃桂皮……
吃了桂皮以后心情会变好，这样我就可以对陛下和艾琳笑了。
艾琳，对不起！妈妈让你受委屈了……
妈妈！

要不然可以进行进出口贸易，从国外进口桂皮。
对，进出口贸易！还可以把洛特岛丰富的农作物和药草输往需要的国家，增加居民的收入。
还有，如果进口洛特岛缺少的石油、钢铁和布料的话，这里的居民也会过上富裕的生活。

我父亲竟然同意了通商贸易，这多亏了你们。
艾琳，谢谢这段时间你对我们的照顾！
我们也可以安心地回家了。
我们不会和洛特岛进行贸易的！
什么声音？
出什么事了？

公主，原来您在这里，出大事了！
怎么了？
现在港口那边发生大骚动了！
商人们都在闹事，他们拒绝进口洛特岛的商品。
大骚动？
什么？
我们快去看看吧！

经济教室

进出口贸易

大家好，今天我们来学习一下贸易知识。

贸易就是自愿的货品或服务交换。国家之间或经济团体之间可以互相交换自己需要的商品和原料等。

比如说洛特岛的农业比较发达，那就可以把岛上丰富的农作物和珍贵的药草输往需要的国家，以增加国民收入。而岛上的石油、钢铁和布料等资源稀缺，那就可以从其他国家进口。

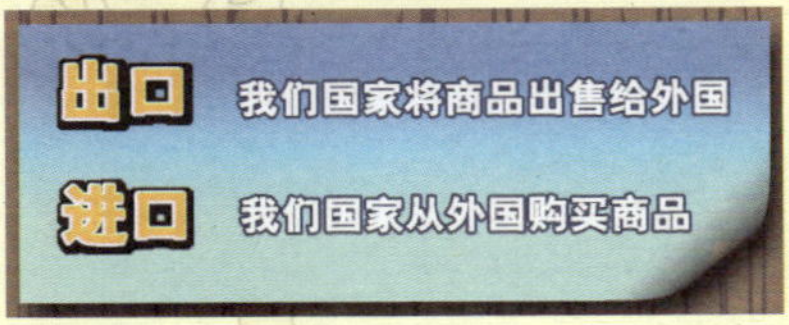

在贸易中，将本国的商品或服务输出到其他国家就叫做出口，而将其他国家的商品或服务引进到本国市场进行销售就叫做进口。当出口和进口都顺畅的时候，双方不仅可以得到自己所需要的，还可以集中精力做优势产业。

明白了吧！话说回来，港口那边到底发生什么事了呢？

第二十八集
艾琳公主的演技

我们不会再和洛特岛进行贸易了！
呃？
可那些物品都是洛特岛的必需品啊！
这和我有什么关系！不光是我，其他商人也都要走了！
为什么啊？
我觉得这里一点都不公平！
哪里不公平了？
这里的关税实在是太高了！
关税？

就是给进口物品上加的税！
因为给我们的商品加了太多的关税，导致商品价格过高，实在是卖不出去了！
为什么加那么多税？
还不是怕我们抢占市场！
啊？
而我们的东西却因为价格过高卖不出去，实在是太不公平了！
这样才能大量销售他们洛特岛的东西！

就是啊。
他说得对！只有在公平的条件下，贸易活动才能进行。
没办法接受就别交易！反正想和我们洛特岛通商的地方多的是！
我们岛上出产的药草可是独一无二的！需要药草的国家必须和我们进行贸易！
别的地方听说洛特岛的关税这么高，也都不想和你们通商呢！
反正我们是不会做亏本生意的！

哼！
好不容易才开放了贸易，现在该怎么办啊？
那个固执的国王，要怎样才能说服他啊？

夏天他们找到国王。
现在洛特岛只有农业比较发达。
所以呢？
人们生活所必需的肥皂、牙膏、衣服、鞋之类的东西都需要进口，但这些东西的价格实在太高了！
这些我都知道！

所以要降低关税啊，商人们有利润，才会继续向洛特岛进口这些商品。
没那个必要！
将进口量减到最少！
出口量增加到最多！
这样，我们才会有更多的利润！
唉！
爸爸，百姓们正在受苦呢！
就算没有通商我们也活得很好！像我们这样的小国家，只要有一点损失，那就是致命的！

还是说不通啊！那个国王真是太固执了！
对啊，真是太固执了！
喂！你们不要再说了！
没关系的。
艾琳，我们也想帮忙，但这件事情对我们来说太难了。
而且我们出来这么久，也该回去了。
这么快？你们就不能多留些时候吗？
对不起，艾琳。
嗯，我知道了！那么，我们开个欢送会吧！

夏天他们终于和米历老师联系上了。
你们在哪呢？大家都没事吧？
对不起，老师。
我们都很好，老师，不要担心了！
回来再好好收拾你们！

该怎样说服顽固的爸爸呢?
咦?
嘻嘻!

艾琳为夏天他们举办了隆重的欢送会。

你有没有觉得艾琳
有一点奇怪啊？
有吗？
真好吃！
对了！我们来
交换礼物吧！

好主意！
好啊！
现在没有时间去买东西了，就拿我们手里的东西当礼物吧！夏天你觉得怎么样？
送什么礼物好呢？
拜托让我吃饱行不行啊？
可以吧，爸爸？
嗯，是个不错的想法！那你快去准备礼物吧。
好！

现在开始进行礼物交换仪式！
山城市的朋友们请出来！
朋友之间交换礼物而已，怎么要这么隆重啊？
好像就是他们！
是他们说服陛下让这里开始对外贸易的！
我们的礼物会不会寒酸了点？
那也没办法啊，现在我们身上只有这些。别担心，艾琳肯定会喜欢的！

我先把我的礼物
送给你们吧！
我给朋友们准备
了高高果实。

高高树只生长在洛特岛上。
其他地方是找不到的，所以我认为它是最珍贵的礼物！
可那也只是普通的高高树的果实而已啊！
艾琳竟然准备了那种东西。
谢……谢谢艾琳。
谢……谢谢。
哇！这个看起来很珍贵呢！
吃进去会产生力量吗？
不会，这个东西是不能吃的。

那这个东西可以用来做什么呢？
没什么用，只是纪念品而已！
艾琳好奇怪哦。
给我看看你们的礼物吧！
这是我自己画的明信片，虽然不怎么样，还是请收下吧。
To
From
就这个？润一，你呢？
这是我最喜欢的发卡，是我爸爸送给我的生日礼物。

呃？
这也太旧了吧！夏天你的呢？
这个是我最宝贝的限量版飞板贴纸。
RUAY
什么啊，都是些没用的东西！
啊！
我的幸运贴纸！

我们现在只有这些东西。
是啊。
等我们回去以后再把礼物寄给你吧！
不必了，你们的礼物是在侮辱我！
什么？
把他们都抓起来！
这到底是怎么回事？

艾琳！
你们侮辱了身为洛特公主的我！这是不可饶恕的重罪！
为什么要这样啊？
艾琳，我们不是朋友吗？
但是你们犯了罪，那就应该受到惩罚！
把他们都关进监狱！

艾琳！
你怎么能对你的朋友这样无礼！
他们侮辱了我！
我是公主！我想怎么样就怎么样！
那你呢，你不也就送给他们牲畜吃的高高果实嘛！
你给我适可而止！
爸爸不也是这样子的吗？
我都是跟爸爸学的，不管别人，只要自己过得好就行了。

百姓们是多么需要这次通商时进口来的东西啊！
可是爸爸却只顾着自己！
呃？
是啊，我不该一味坚持我自己的想法的。
爸爸！
艾琳……
啊？

现在能够自由贸易了，以后还请多多关照啊！
昨天的事真是对不起。
你们吓坏了吧？
就是啊，我们大家被你骗得团团转呢！
我还以为你来真的呢。

咳！
我啊，早就知道你在演戏了！
少来了，事后诸葛亮！
是真的！我可是名侦探韩夏天！
接我们的船来了！
可我怎么越来越没办法相信你了呢！
喂，这边，在这边！
我们要走了！
这段时间谢谢你的照顾。

你以后要来山城市玩啊！
嗯，我一定会去的！
你们这些家伙！没我的允许就敢来旅行！
被我抓住有你们好受的！
糟糕了！
哇啊啊啊……

经济教室

关税是什么

我爸爸在对外贸易的时候坚持征收高额进口关税，导致进口货物的价格实在过高都卖不出去了。商人们都表示不再和我们洛特岛进行贸易了，这可怎么办啊？

所谓关税，就是指一国海关依法对进出口的货物或者商品征收的一种税。我爸爸为了保护我们洛特岛的产业而征收高额进口关税，限制进口数量，阻止外国商品的大量进口，这是保护贸易。相反的，取消对进出口贸易的干涉和限制，取消本国进出口商品各种优待和特权，使商品自由进出口，在国内市场上自由竞争，那就是自由贸易。

关税

给进出口商品加上的税

贸易协定

调整国家之间相互贸易关系的一种书面协议

进行贸易活动的时候，许多国家会根据双方的条件和情况签订协议，使贸易更加顺畅。这样才能给双方都带来利益。

第二十九集 恐怖的合同

现在只要给天空涂上颜色就可以了，没有蜡笔可怎么办啊？
MBA
还剩十分钟！十分钟以后把你们的作品都交给老师！
啊？
朋友们，你们谁有天蓝色的蜡笔啊？
帮帮忙吧，我马上就会还给你们的……
为什么？
别白费力气了，他们是不可能借给你的。

你想想看，每次写生你都拿第一，他们怎么可能把蜡笔借给你呢。
不过我倒是可以把我的蜡笔借给你，还是天蓝色的哦！
当然啦，可是我有条件。
真的吗？
在学校里生活，我也会有像你一样不知所措的时候。
条件？
那当然了！现在你可以把蜡笔借给我了吧？
到那时你也能帮我就好了。

嗯？
等一下！
光说怎么能行呢！
合同
在这上面签个名吧！
合同？
要签了才能把蜡笔借我吗？
合同
呵呵……

在这里呢！
把它还给我！
来，来拿呀！
啊！
还给我！
接着！

来这里拿呀！
哎哟！
砰
怎么办？
啊？
米历老师知道了肯定会扣你们的学分的。
活该！

咦？花盆怎么碎了？
是谁打破的啊？
那个……
路易，你来得正是时候！那个，我有件事想拜托你。
我怎么有种不好的预感……
米历老师要是问起来，你就说这个花盆是你打碎的。
什么？

我们不是约定过嘛，在我有困难的时候你就要帮助我。
话是这样说，但是……
合同
合同还在我手上！
你可是签了字的！
控告？
在合同上签了字就具有了法律效力，如果你不遵守的话，我可以控告你违约！
我知道了……

南路易！
破坏公共财物……
一张黄色卡片！
啊？
嘻嘻！
合同书是用来证明合同成立的文件，可以用法律来保护互相之间重要的约定。
贝蒂，你来回答这个问题。
是，老师！

嘻嘻！
啊！
看！贝蒂的头发！
哈哈哈哈
江多多！你干什么？
是贝蒂的头发自己粘到透明胶布上去的。
江多多！今天罚你打扫卫生间！
是，知道了。

15:00
泽泽！
嗯？
唉，我遇到了一点麻烦，该怎么办呐？
合同
啊？
哼哼！
我知道了。

夏天，我
好冤啊！
怎么了？
泽泽，为什么是
你在打扫啊？
其实上次打碎花盆的人也
是多多，路易因为和他签
了合同，没办法只能帮他
顶罪，很多同学都被多多
骗着签了这种合同。
啊？
你们签的到底是
什么合同啊？

因为我们有困难的
时候多多帮我们了，
所以多多有困难的
时候我们也要帮他。
可是他却利用这些
合同来为难我们！
现在是“经济
之星”出动的
时候了！
唉！
夏天，你
去哪儿？

MBA的操场上。
出发！
左闪
右躲
急刹
回转

哈哈！见识到了吧，这就是最新型飞板的威力！
我是不会输的！
嘭
呃啊——
啊
啊
啊！

好热啊！麦斯克，去拿点水过来。
我也正热呢！
麦斯克的合同在哪儿呢，让我来看看……哇，你的就有十张啊！
啊？
好了好了，我去拿！
喂！朋友们！
嗯？

嘿嘿，大家为了赢我这么努力啊！
我闭着眼睛都能赢你！
对了，你们滑完飞板肯定很热，这些冰激凌拿去吃吧！
你会这么好心？
本来是给朋友们买的，但是大家都不吃，又不能扔掉啊，正想怎么办呢。
刚好看到你们，就发挥一下友谊的力量啦！
太好了！现在正热得不行呢！
你在打什么主意呢？

我能打什么主意啊，那你们不吃的话我就把这个扔了吧！
扔了多浪费啊，我来吃！
等我吃够了再说！
多多，你怎么一个人吃啊，我们的呢？
哪有这样的？这是夏天给我们大家的啊！

要不要再见识一下合同的威力呀？
不……不用了。
啧啧！
那……给你们每个人都去掉一张合同。
呃，谢谢多多。
吃太多的话容易闹肚子哦。
这跟你有什么关系？
好吧，跟我没关系！那我先走了！
早就该走了。

难道是因为吃了
太多的冰棒？
咕噜咕噜
呃啊——
呃——
受不了了！
噢噢噢噢！
差点就出事了……
还是小心一点……

好像……快憋
不住了……
咦？怎么
打不开？
啊！
快点开门！
呃？
咕噜噜噜
有没有人啊，
快开门啊！
没有人在吗？
路易，我好像听到
外面有什么声音。
我也听到了！

朋……朋友们帮帮忙，我有点急……
好像是多多！有什么事吗？
这个门好像坏了，可以帮我开一下吗？
呃！
咕噜噜噜
门打不开吗？我来看一下。
谢……谢谢……夏天……
好像真的是坏了，我打不开啊……不好意思了，多多！
刚才你是在向我发火吗？哎哟，向想要帮你的人发火……
不是……想要帮我的话就要尽力而为啊……
喂！你怎么能轻易放弃呢！做事要有毅力啊！

我也知道啊，可是我这个人没什么耐心。再见啦！
啊！
我什么时候发火啦。
真的没有发火吗？算了，那我就再帮帮你吧！
等一下！
又怎么了？
合同
这是什么？
要我帮你，先在这上面签个字！
将你手里的合同全部作废！只要你签字，我们就帮你！
不签就算了！我们走喽！
什么？你们怎么能这样？
签！我签！

太好了！
呵呵呵呵！
现在把门打开吧！
呃——
多多，这可是你自己签的！
合同
咕噜噜噜
憋……不住了。
作战成功！

韩夏天！我们
走着瞧！
可恶！
呃，又来了！

经济教室

什么是合同

今天多亏了我，朋友们和多多签订的不公正合同才能废除。那大家知道合同是什么吗？

合同是当事人为确定各自的权利和义务订立的，各自需要遵守的协议。

简单来说，合约和约定非常相似。我们平时也会和朋友约定一些事情对吗？但有时候我们可能没有很好地遵守约定。因为仅仅是口头上的约定，有可能会遗忘，也有可能会故意不去遵守。所以我们可以把约定的事情写在书面上，这就叫做合同书。

合同

为了让双方遵守约定，将约定的内容写下来做成**书面文件**。依法成立的合同受到法律的保护

如果合同是在公平的条件下签订的，那就必须遵守。因为合同是有法律效力的，受到法律的保护，不遵守合同就是违反法律。但是因为多多利用了朋友们的弱点，在不公正的条件下签订了合同。因此，这些合同可以不去遵守。

大家知道签订合同是多么重要了吧！

第三十集

拉面馆的秘密

同学们，上午的现场学习就到此结束。
现在休息一小时，作为我们的午餐时间！
待会儿大家各自去吃午饭，一小时后我们在这里集合。
呵呵，刚好我肚子饿了。

大家都听清楚了吗?
听清楚了!
好，现在解散!
我们吃什么呢?有没有既便宜又好吃的东西啊?
有啊!
当然是包子了!
什么?
啊?
每次都吃包子，我不要!
就是啊，我也吃腻了。

你们还没品尝出包子的真正味道呢，这次我们吃炸包子怎么样？
润一，我们走吧，和夏天一起的话又要吃包子！
那我们去哪儿呀？
这附近有家有名的拉面馆。
我们去那里吃吧！
喂！如果是包子拉面的话我也可以接受啊！

FRIDAY
Restaurant
喂，一起走嘛！
哎哟！好累啊！
一跑肚子更饿了！
呵呵！

呃！
夏天！偷偷摸摸地想要插队吗？
韩夏天，你以前的善良和正义都是装出来的？
哎呀！我去排队还不行吗？
哎哟，真的好饿啊！
咕噜咕噜

好了！不要再吵了！待会儿给你买美味的包子拉面！
美味拉面馆
没什么客人，那就说明他家的拉面不怎么好吃。
美味拉面馆？那里都没有人排队吗？
哎呀，实在饿得受不了了！
不管了，就去那边吧！
美味拉面馆
Restaurant
FOOD

3NT
2NT
有人吗？
什么人都没有，这里的拉面肯定不怎么样！
算了，还是去吃好吃的拉面吧。
欢迎光临！

那个……原来
有人的呀！
您是来吃拉面的
吧？请里面坐！
等一下！尝尝我们
的拉面吧，我们拉
面很好吃的。
算了……
真的吗？如果不
好吃怎么办呐？
不好吃就不
收你的钱！
真的吗？

就算不好吃，那也
不用花钱对吧？
3NT
3NT
请慢用！

这个味道是……
猪肉的滑嫩和鸡
肉的清香……

美妙地融合在了一起！
顶级的汤和劲道的面条，
还有包子梦幻的和声！
真是太美味了！
呼啦呼啦

3N1
再来一碗！
味道还行吗？
太好吃了！老板做的拉面是我吃过最好吃的！
可是……为什么我们店里都没有客人呢？
是啊，难道说愉快拉面馆的拉面比这里的更好吃吗？

你还要一碗是吧？
我马上去煮。
等一下！
让我美食达人韩夏天亲自去试验一下，看看愉快拉面馆的拉面和这里的到底有什么不同！
3NT
这么美味的拉面却没引起人们注意，肯定有什么问题！

润一，有件事我想拜托你一下！
什么事啊？
也帮我点份拉面吧！
有件事我一定要弄清楚！

3nt 2nt 5nt
嗯？
你干什么呢？
外面看起来和美味拉面馆没什么不同嘛。
你该不会是在美味拉面馆吃过了才来的吧？
嘘！
为什么这里的客人会这么多呢？

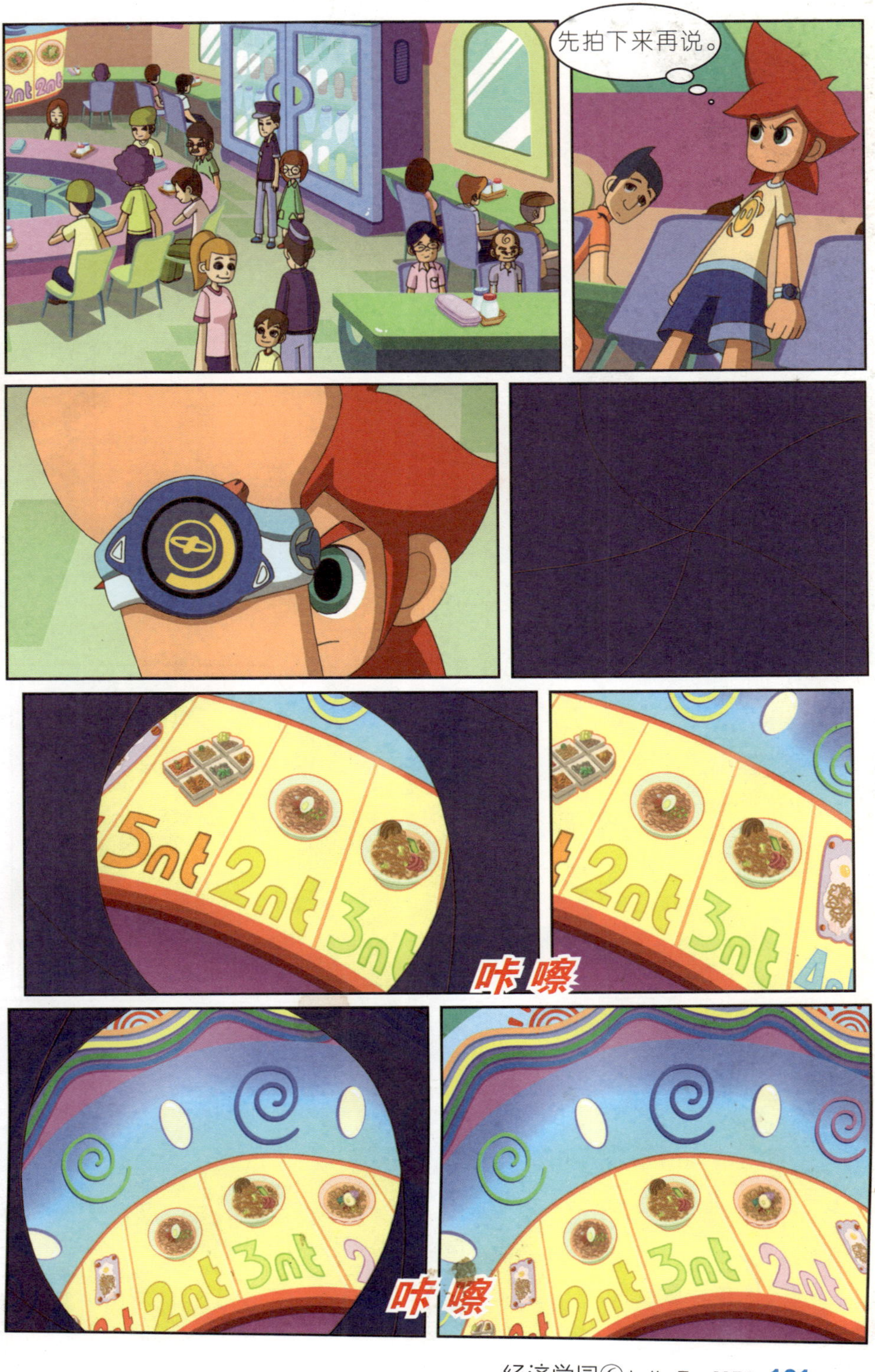
先拍下来再说。
2nt 2nt
5nt
2nt
3nt
2nt
3nt
咔 嚓
2nt
3nt
2nt
3nt
2nt
咔 嚓

看来现在只能认为这儿的拉面比美味拉面馆的好吃了。
小朋友，你们要吃点什么呀？
我想吃清淡一点的拉面。
你可以尝试一下水果凉菜拉面，冷藏之后加上凉菜和水果，你觉得怎么样啊？
好的，谢谢！
我现在特别饿，所以我要量多又便宜的拉面！
适量地用餐才能品尝出食物的美味哟！
可是我的肚子真的很饿啊。
好吧，如果你吃了一碗以后还觉得不够，我就再送你一碗。

这个老板的话怎么那么多呀！
该我了！
我喜欢吃包子，给我一碗加很多很多包子的拉面。
可是，我们店里没有这种拉面。
什么？难道你不知道顾客就是上帝吗？上帝的要求不是应该尽量满足的吗？
如果在拉面里加入包子，拉面就会失去本身的味道。
怎么还有老板不听客人的要求。
我就想吃包子拉面！

不好意思，我不能破坏拉面的味道。
不如我来帮你做一份特别的拉面吧。
什么啊，这个老板居然自作主张。
呃？
这是我们老板根据您的口味特意调制的麻辣火腿拉面。
我们的拉面用料虽然简单，但是口味很特别哦。
这里的服务员和老板一样，话真多！

刚才的那个拉面很好吃，我想再来一碗。
如果一下子吃两碗同样的拉面，那么第二碗拉面吃起来就没有第一碗那么美味。你不如试试我们的辣椒炒面。
辣椒炒面？
是啊，辣椒炒面的口味比您刚刚吃的那一碗要重，而且辣椒还可以帮助消化呢。
听起来不错，那就来碗辣椒炒面吧！
好！

各位点的拉面到了。
哇啊！
哇！
这是什么？
这是愉快拉面大联欢！我知道你肚子不饿，只是想尝尝我们的拉面，所以我准备了各种口味的拉面。
你怎么知道的？

你一进来，我就闻到你身上有股拉面的味道，还有，你嘴边还沾着拉面的汤呢。
啊？
您点的鳗鱼拉面到了！
哇，好香啊！
我们的秘诀就是为每位客人准备适合他的拉面。

我们会根据客人的喜好、心情和状态，推荐适合他们的拉面，让他们吃得开心。
2nt 5nt 2nt 3nt 4nt 2nt 2nt
我刚才看到你从美味拉面馆出来，其实那里的拉面并不比我们的差。
可是那家店的老板忘记了一点，那就是要琢磨客人的心思。
原来是这样啊！

热的时候妈妈会为我准备凉拌的冷面，生病的时候又会帮我做清淡的粥，那些用心准备的东西吃起来真有种幸福的味道。
我一直以为只要拉面的味道好，客人们就会喜欢，竟然不知道……
那边的老板说还要会揣摩客人的心思。
小朋友，谢谢你！是你让我知道了这些！

没什么啦！我也吃到了很多美味的拉面啊。
今后，我会努力以最好的服务和最美味的拉面来赢得美名的！
加油！
嗯，加油！
那我先走啦，再见！
啊！不好！要迟到了！

经济教室

商品和服务一体化

你们是不是也觉得奇怪：“为什么美味拉面店的拉面很好吃，却没有人光顾呢？”

呵呵，这是因为那家店只顾着做好吃的拉面，却没有想到为顾客服务啊。而我们愉快拉面店不仅有好吃的拉面，还会根据客人的情况推荐适合他们的拉面，给客人最贴心的服务。

服务就是满足人们的某种需要所做的事情。服务和物质商品不同：物质商品是具有外观的，是看得见摸得着的；而服务是无形的。好的商品加上好的服务才会具备更强的竞争力。

那日常生活中为我们提供服务的产业有哪些呢？学校、医院、银行、电影院等都是代表性的服务产业。学校教人知识，医院可以治病，电影给人们提供娱乐服务。

服务产业

销售服务或是情报的产业

知道了吗？那么，想吃拉面的话就来我们愉快拉面店吧。

下集预告

1.好不容易说服爸爸让我来山城市玩，不知道朋友们看到我会不会很吃惊呢。

2.雷欧？刚才还和我说话的，怎么一转身就不见了。

3.我现在又累又饿，还是先把肚子填饱，待会儿再找吧！

4.看着好像都很好吃！嗯……我要这个、这个、还有这个……

5.一共是……300元。嗯？“元”是什么东西啊？

6.经理说我的艾拉是玩具钱，可是我们洛特岛用的都是这种钱啊。

7.那个经理好凶啊！他说我愚弄了他，还要把我送去监狱。

8.他们要把我留在厨房干活抵债，直到我把欠的饭钱全都还清。

9.我以前从来没干过活，不知道……哎呀！这个盘子怎么这么滑啊！

10.为什么要对我这么凶啊？呜呜……我好想回家啊。

11.朋友问我在山城市有没有认识的人，可以让他们来帮我。

12.夏天，你们总算来了，我在这里好辛苦啊！快点救我出去吧！

《经济学园》

卡龙精品书系

编著 \江苏卡龙动画影视传媒股份有限公司

出版 \时代出版传媒股份有限公司 安徽人民出版社

52集动画电视连续剧 · 全10卷 · 定价 :12.80元 /卷

迈向经济学园的第一步　过三关（上）	经济隐藏在生活中
迈向经济学园的第一步　过三关（下）	为什么要学习经济
第一个任务　寻找银行	银行是做什么的
漫长对决的前奏	服务质量的影响
夏天忙碌的一天	为选择而烦恼

“经济之星”三人组	选择还是放弃
夏天和多多的飞板比赛	竞争是前进的动力
路易成为说谎话的孩子	有计划地消费
交换　交换	交换获得价值
怪物大骚动	广告的分类与益处

谁偷了夏天的水晶卡	储蓄有什么用
取代清洁机器人的路易	什么是生产活动
谜一般的期中考试	最合理的消费
挽回的服装生意	利润从哪儿来
改良服装的意外事件	供求对价格的影响

我要让山城市都堆满钱	什么是通货膨胀
经济之星迎来了第一次较量	恶劣的倾销手段
跳舞　跳舞　跳舞	替代品和互补品
拯救桑德爷爷蛋糕店	分工与专业化
满足挑剔的美食评论家	技术的创新

惊险的挑战	分工与合作
多多的魔法口哨糖	不公正的交易
守卫山城市的消防队长阿布叔叔	职业的选择
抓住银行抢匪的罗布老师	保险的益处
多多得到魔法卡片	什么是信用卡